エッセイ　通貨二元論

志賀　一太郎

東京図書出版

エッセイ　通貨二元論◇目次

人類の未来の問題

―孫たちの世代、半世紀先を見据えて―

第1章　第三次世界大戦と核戦争

人類の未来の問題

人類の歴史を紐解くと、それは戦争の歴史だとも思える。

戦争という、人が人を殺し、殺されるという最も恐ろしくて悲しい現実が、何千年もの間続けられてきた。なぜ人類は歴史に習い、それを止めることができないのかと憂慮する。

わずか80年足らず前には、我々日本人も戦争によってとても悲惨な経験をした。そのことは、今は高齢になってしまった我々の祖父母や曾祖父母の口から直接聞くことができる。

皆戦争だけは起こしてはならない、と言う。

その言葉から、それは筆舌に尽くし難い経験だったことがわかる。

とても悲惨な経験が、彼らの心の傷痕となって、残っているのがわかる。

しかし世代が変わり、戦争を知らない若者が、社会にとけ込み、どんどん世の中に進出していく時代になって、戦争体験は、我々人類全体の記憶から、忘れ去られようとしているように見える。

また戦乱の世の中が近づいているように見えてならない。

そして今、核兵器が存在する世の中になって、今後どうなるのか不安になってくる。

もはや核兵器を持ってしまった人類は、そのことをどう解釈するのだろうか？

ウクライナ戦争、北朝鮮問題など人類は戦争を根絶することが到底できない、人類破滅にもつながる、この核兵器と縁を切ることができない、そして核兵器開発競争に歯止めが利かない。

かつて、ユダヤ人であったアインシュタイン博士はマンハッタン計画で広島長崎に落とされた原爆の開発に携わったときくが、戦後彼もこのことは大きな悔恨となって、この核兵器は「人類最大の問題だ」と述べていた。

彼は戦後多くの名言を残している。

今までの二世代、約六、七十年は平和であったが、これから先の二世代の間、果たして
世界平和が保てるかどうか？

人類は歴史的に見ても戦争がやめられない。
↓
核戦争が起こったら？
　1万2000発以上[*注1]の核弾頭
　そしてそれが全面戦争に発展したら、

戦争がやめられない人類（ホモサピエンス）サル族ヒト目ヒト科
人類も動物であり、生物として進化してきたもの。進化論
生物界は、弱肉強食。その性質を今も色濃く持っている。

人類は果たして生き残れるか？　絶滅するのか？

＊注1：2023年1月現在、ストックホルム国際平和研究所データによる。

第2章　地球環境破壊

我々人類は、より豊かで、より便利で、快適な生活をしたく日々努力を重ねてきた。しかしこの問題は、そのような生き方をしてきた人類の未来そのものを変えなければならないかもしれない問題を、包括していると思う。

かつてローマ時代の人は、馬に乗り、薪で火をおこし、風の力で帆船を動かすといった自然エネルギーを、当時としては、うまく操って生活してきた。

しかし現代、人類は、ロケットをはるか宇宙まで飛ばし、飛行機を操り、地上では個人個人が車を持って、自動車があふれかえっている。

また貨物列車や、トラック、大型輸送船を動かし、我々に豊かな食料や、そのほかの多くの物品を運んできてくれる。

自動車や船の動力源には膨大な量の石油が使われている。

また、平地には、多くの人が夜にはまぶしいばかりの明かりで中を照らす家や職場を作り、アスファルトで埋められた道路を網の目のように張り巡らし、街には鉄骨や鉄筋とコンクリートでできた巨大なビルが林立し、電波や電線と電柱などで通信網が張り巡らされている。そしてそれらの物質は、大規模工場で多くのエネルギーを使って作られているのである。そこにある鉄も、コンクリートも、アスファルトに使われるタールや、砕石といった物質は、もとをただせば、膨大なエネルギーを使って鉱山や地中、山を削って作られている。そして膨大なエネルギーを使って、加工され、現実に見ることができる物質、物体に変わっているのである。

家庭生活においても電気は冷暖房や調理に使われ、ガスなどにより湯を沸かすこともする。家の暖房に電気や石油、天然ガスを使うこともある。

発電は、現在石炭に頼った火力発電所が最も主要な手段になっている。結局ここでも膨大な量の化石燃料を使っていることになる。

そしてそれは日本の国内のみならず、世界中の地で現に行われ、あるいはその生活を目指して、日々努力が続けられている。

人類は世界中どこに行っても、より豊かで、便利で、快適な生活を求めている。

我々は食べなければ生きていけない。

我々は米や野菜を食べるため、大規模な農地を作り出し、家畜を食べるため広大な牧場を作ったりしてきた。そのためかつてあった広大な森林地帯などは伐採され、効率よく食料ができるように土壌改良され、あるいは家畜を育てるための飼料の原料になる食物も栽培されてきた。ここでも膨大なエネルギーが使われてきた。

ローマ時代の一人の人間が使っていたエネルギーの数百倍、現代のわれわれは一人当たりで使っているといっても過言ではあるまい。

そして、第4章でも述べるが、ローマ時代の世界の人口とは比べ物にならないほど現代の世界の人口は増えている。

■ CO_2の問題

われわれ日本人は、一年に一人当たり9トン近いCO_2を排出[*注2]しているという。この問題は深刻である。

世界人口一人当たりの一年間CO_2排出量は約4トン[*注3]と試算されている。

＊注2：国立環境研究所報告による。

＊注3：「2020年度（令和2年度）の温室効果ガス排出量（確報値）について」2022年報告による。

植物は、炭酸同化作用の光合成をすることにより、単純に言ってCO_2を炭素と酸素に分ける働きをする。

世界中の植物は日中太陽の光を浴びて光合成をしている。

しかし我々は、ただ生きているだけでも酸素を吸って、二酸化炭素（CO_2）を出す。

そして現代、先にも述べたように膨大なエネルギーを使って、より豊かで、便利で、快適な生活を求めすぎた結果、大量の二酸化炭素（CO_2）を出すに至ってしまった。

100〜200万年近い人類の歴史の中では、地球上では、大気中に含まれるCO_2濃度は、150〜200ppm程度であったといわれる（南極の降り積もった雪でできた氷床の中の空気を調べた結果などから）ものが、現代ここ数十年足らずの間に400ppm[*注4]を越えてしまったという。

＊注４：気象庁データ（２０２１年度）による（４１５・７ｐｐｍ）。

そしてまだそのCO_2の濃度はより増え続けているという事実がある。

そして現代、それは植物が作る酸素とのバランスが取れず、多くの二酸化炭素を作り出している。

植物（海洋の植物プランクトンも含めて）が光合成して二酸化炭素を酸素と炭素に分けるより多くの、二酸化炭素（CO_2）を出しているのである。

（これは気象観測のデータなど現代の研究からも解明されている）

金星という惑星はCO_2に覆われ地球より太陽に近い軌道を回っているが、地上数百度に近い灼熱の温度の天体である。

金星大気のCO_2は昔から温室効果ガスとして知られていた。

■CO_2が増えると

地球規模での気候変動

森林減少、砂漠化、水蒸気量の増加や気候変動そのものから来る

豪雨、洪水

水資源の変動→氷河の減少や消滅など、陸水の減少による干ばつそのものによる洪水、干ばつ、山火事の増加またある地域では大量の水蒸気が大気中に含まれることになるので、一度に大量の雨が降る。そして洪水になる。

氷河氷床の減少→氷河のあるヒマラヤの下流域には数億人が生活する。水不足による大干ばつと飢饉の可能性。

水産資源の減少、海面上昇→都市の水没、浜辺・磯の生態系破壊など

温暖域の拡大→温暖化により、かつて南方の地方にしかいなかったウイルス、病原菌が、高緯度あるいは高地にまで移動する、地球の高緯度、寒冷地まで移動する。環境の変化に順応できない自然動物の絶滅種の増加。

極地方の海氷の減少、北極海の氷がなくなりそう

南極半島の棚氷が解けだしている→地球規模の気候海洋環境の破壊

これはある種の恐ろしい兆しともいえる。
南極には3000メートル近い氷床が大陸の上に乗っかっているが、その大陸の氷床の下の岩盤は海抜0メートル以下のところが多い。
もしそれがもっと解け、大量に標高の低い南極大陸中央部に海水が入るようになったら、南極の氷は一気に解け、その影響で世界中の海水は極端に冷やされ、地球温暖化にもかかわらず、世界中は一気に寒冷化するかもしれない。

グリーンランドの氷河、氷床がすべて解けると、世界の海の海面は7m上昇[*注5]するという。南極の氷河、氷床がすべて解けると、世界の海の海面が60m上昇[*注6]するという。世界のほとんどの都市が水没することになる。

＊注5：国立極地研究所データによる。
＊注6：国連気候変動枠組条約UNFCCC等のデータによる。

予測困難な気象現象が起こるかもしれない。変化は一気にやってくるものである。

さまざまな環境破壊による生態系の危機、食物連鎖のサイクルが変わる自然破壊、温暖化により、熱帯地方で生まれていたような感染症が世界に広がってきている。

？？？グリーンランドが解けたら、海流の影響によりヨーロッパが氷河期になる？

という話をアメリカ元副大統領のアル・ゴアは連想させていたが[*注7]、

森林伐採 ⟶ 野生動物と人間の接近により事故が増え、コロナウイルスのような新たなウイルスの出現。

＊注7：映画『不都合な真実』による。

■これはCO_2の問題から離れるが

レアアースの発掘の限界など資源の枯渇

プラスチックの大量使用による海洋汚染 ⟶ 海洋の生態系を脅かしている。

■メタンガスなどの問題

メタンは地球温暖化原因の十数％を占める[*注8]という意見もあるが

このように温暖化が進むと、

シベリアなどでの昔大森林地帯であった広大な地域では、長い年月をかけ堆積してきた有機物が発酵し、大気中に大量のメタンガスが発生する。

↓これまで永久凍土で氷の世界に閉じ込められてきたメタンガスなどが一気に解け出し、大気中に放出されだしているという事実。

＊注8：ＩＰＣＣ第四次報告書による。

さらに地球温暖化が進み、悪循環に陥る。

このメタンガスとともに、永久凍土の中には、過去数百万年間の間発生してきた危険な病原性細菌やウイルスが閉じ込められているかもしれない。今は絶滅している細菌やウイルスが再びこの世に現れるとも限らない。

このような温暖化問題は、これからの20～30年のわれわれ人類の行動如何によっては、西暦３０００年までの世の中に禍根を残すことになりかねないと予測する科学者もいる。

1歳の子供がいるが、今後成長し、大人になった時、悲惨な世の中になっているのを見せるのがつらいという科学者もいる。

「現在、大量に大気に広まったCO_2を埋めてしまえばどうだろう」などという考えもある。しかし世界の人が、年間一人当たり約4トン排出しているCO_2を地下に埋めるということは、年間約80億人×4トンのCO_2を埋めるに等しい。

今のわれわれの考えではとても不可能と思えるのだがどうだろうか?

ぜひ科学者の声に耳を傾けてほしい。

第3章　シンギュラリティ

電子産業は人間の能力を超える→その時すべての人が豊かになれるのか？
ホーキング博士の遺言→これは人類最大の脅威になると

人間が作ったものだから、人間を超えるわけがない、は嘘だと思う。なぜならＡＩは一度入力されたデータを正確に保管でき、膨大なデータ量を扱うことができ、演算（行動として表すこともできる）速度が速い。

現代の事象はすべて数学で表現することができるであろうとある科学者は言っていた。その数学の演算であるコンピューターの処理速度が人間のはるか上を行くという事実から考えて、現代のＡＩは人間の能力を超えることができる。

軍事産業への転用→ＡＩが人を殺す。
ＡＩの進歩により、今まであった様々な職種が問われる→失業者の増加

■広い意味での進化できるＡＩの登場

ある学者（例えば日本人でいえば落合陽一さんなど）は、２０２５年にはシンギュラリティを迎えるという。

デジタルネイチャーの世界➡我々が認識する世界より、人間の認識を超えたＡＩは、自然というものをとらえていた人間の感性や、知識などにより、すべてを変えてしまう力を持つ？？？

ホモサピエンスは知的な生物でなくなってしまう？？？

デジタルネイチャーといわれる言葉が最近はやってきているが、これから半世紀後をＡＩはどのように予想しているのだろう？

人類は創造するというが、やはりそれは人生で学習してきた経験や素質などがもとでひらめくのだと思う。

ローマ時代にロケットが作られなかったように無から有は生まれない。

しかしこのＡＩは人間の能力を超えているため、どんどんと想像もしない技術や産業を超速で生み出してくる可能性が高い。

あたかも創造するように見えるＡＩと人類はどう向き合えばよいのだろうか？

自然や人間環境のスピードとは全く別物の世界を作り上げてしまうのではないだろうか？


２０２３年春、チャットＧＰＴが世界中で話題になっている。

コンピューターが発達したＡＩが、人間より優秀な論文や文章を、人間の質問に対して答えを出すという。


今のところは学習機能がある人工知能を操るのは人間だから、人間がしっかりしていれば十分制御していけるというが、どのようにこの先進歩していくか謎な部分が多い。

人間の倫理観も問われる。

第4章　人口の爆発的増加

先の大戦後20億人だった世界人口が80億人を超える
↓
水資源の不足、食糧の不足、
エネルギーの不足など

貧しい国、先進国でない国の人口が増える。

世界が乱れる一つの大きな原因になる。


戦争、環境問題とも関係して、食料、水、エネルギーの争奪戦が起こる可能性が高い。

２０２３年、中国の人口を超え、14億人以上いるインドが世界一の人口になったようだ。

インドやアフリカなどの人口がますます増える。その人たちもまた豊かさと快適さを追求するわけだが、食料の供給が追い付くかどうか？　それらの国のインフラの向上を目指す上でも大いに問題がある。より不幸な事態を避けたいと願っているがそれが防げない。

今、日本では少子化問題が随分と取り上げられているが、グローバルな見地に立つならば、人々の意識を変えれば必ずしも問題を解決できないわけではないと思う。

もっと、移民や難民を受け入れてもよいように思われる。その人たちは、我々の平均年齢よりどちらかといえば若い。先進国の多くが少子化問題を抱えているが、発展途上国などから、もっと人の移住を促すことのほうが、世界の人々に対する理解も深まり、広く世界の文化が広まり世界平和につながると思えるのだが。

これから先乗り越えるべき問題は、日本国内の少子化対策もよいが、世界人口の大爆発のほうが大問題に見えるが？

（当然教育や、民主主義、人権尊重の意識を広めなければならないが）

第5章　世界的経済の大問題

世界経済のデリケートな状態→グローバルな世の中になってしまったので、世界の経済の影響を直接的に受ける。

通貨危機が起こる→世界経済の大混乱

先進国の没落が始まる。中国、インドなどが経済の中心になっていく。

アフリカンドリームもいずれ終わる。

■南北問題

グローバルサウスという言葉があるが、世界の南北問題は大きいと思う。そしてこれが他の地球温暖化問題や、人口爆発の問題とも関連し大きな経済格差を呼んでいるのだと思う。

世界の富の偏り（世界規模での格差）の増大。
人間みな、より豊かで便利で快適な生活を求める。
これは世界人類共通の本能だといえる。
苦痛や貧困を味わうのは嫌である。

しかしすべての人が、その願いをかなえることができるのか？　子や孫の世代で、自分より平和で豊かになってくれるのならよい。でもそれがこのままでは難しい。

世界上位のたった１００人の大富豪が、地球の貧しい側の国の半分に当たる何十億人の総資産より多く持っているような話を聞く。そのような格差が残っている状態で他の問題が顕在化する未来には何が待っているのだろうか？

■通貨の問題

どの国もお金というものが人類にとって発明されてからその仕組みは根本的には変わっていない。

インフレ、物価の変動などの問題が世界的に発生している今、経済、金融、政治の制度などひとまとめにして考え直す時なのかもしれない。

2023年春、アルゼンチンではこの1年で100％を超えるハイパーインフレとも思う状態になっているときく。

スリランカも債務超過によりデフォルトに陥ったようにきく。

アメリカもシリコンバレー銀行が倒産するし、スイスではクレディ・スイス銀行の問題が発生しているときく。金の価格も上昇している。

これから先が中長期的にみて心配だ。

第6章　これらの問題が同時に発生しそうな未来

すぐれた専門家ほど総合的に考えられないようなことも多いかもしれないと思える。世界中にはいろいろな考えがあるように、すべてのことに近ければ近いほど、総合的に考えて初めて未来のことが見えてくると思える。

悲観的に考えているつもりはないが、孫が今の私の年代になるころにはどうなっているか？

否定するわけではない。肯定したいが、哲学だけでは科学的思考に欠けるのではないか？　あるいは文化系だけ、理科系だけと分けて考えてみても、本当の未来は見えてこないように思える。

前記の問題はそれぞれ密接に関係する。それぞれの問題がからみあって、それぞれの問題を増長してしまう。

第1章の問題は第2、3、4、5章の問題と密接に関係している。

ある報道で、ウクライナ戦争で消費されるエネルギーによって放出されるCO$_2$の量は、ニュージーランド一国分の普通に生活して排出されるCO$_2$の量に等しいなどと言っていたようだ。

これが事実なら、人類は何をやっているんだと思えてくる。

第2章の問題で世界中が不安定になり、第4、5章の問題とも相まって、第1章の問題の危険性が増す。

第3章の問題は一見救世主になってくれるのではないかとも思えるが、第4、5章の問題に深い影を落とす結果になりかねない。そしてその後、第1章の問題にも利用され、より密接に関係してくると思われる。

第4章の問題は今後より深刻化してくるであろう。第2章の問題により、より第1章の危険が増すと思える。背景に第5章の問題も関係して、乱れた世の中になる可能性が高い。

音叉《おんさ》が相互に共振するように別の問題に波及し、どんどん広がっていくように。

■経済の失速原因

今までの時代その国の外部に活路を見出し、どんどん発展してきたが、その外部となる道がもうなくなる。例えば植民地時代にしてみても、グローバルな貿易社会で築いた、経済的優位になれた最近の社会でもそうだが、この外部の国に活路を見つけ発展してきた未開の地がない。もはや地球上にパイオニアスピリッツを発揮できる世界の余地が極めて少ない。

↓海底、宇宙にそれを見出すといっても異環境すぎて、簡単にはその地に入り込めない。技術とコストがかかる。

ホモサピエンス以上の進化した種が生まれるとしたら、進化論から考えると、生き残れる生物は、変わっていく自然界の中で環境に順応できるように変われ、弱肉強食の世の中で、食物連鎖のサイクルに組み込まれながらも、その地位が重要な位置にあり生き残れるように変わっていくもの、と考えてみると？

いろいろな地球上の問題を放置し、それを解決できないとしたらホモサピエンスも絶滅するかもしれない。

そんな問題が残ったとしても生き残れる生物？　というより地球を支配できるのは、将来ひょっとしてＡＩロボットしかないのではないか？（それは生物ではないのだが）

ＡＩロボットが、人間（ホモサピエンス）より優秀な種になりえるかどうか？

なりえたとしたら、彼等は人間をどう扱うか？

ＳＦチックだけど……。

どうすればよいか？

人間社会はストレスが大きければ大きいほど、行動に出ようとする。しかしそれは熟慮に熟慮を重ねた結果ではない。

太平の世の中のほうが、人類はよく考えることができるように思える。安定した社会のもとで文明、文化は作られてきたように思える（例外はあろうが）。

そう考えると、安定していなければ、これらの先にあげた五つの諸問題の解決策は浮かぶまい。

しかし今回の問題はどれも人類が経験したことのない問題で、歴史をたどっても答えが見つかるとは限らない。

そんな中で解決策を見つけ出せたとしても、はたして大衆にどこまで理解してもらうことができるか、はなはだ疑問である。

繰り返すが、先にも述べたある地球科学者は言っている。

「これからの20〜30年の人類の行動が西暦３０００年まで禍根を残す結果になりかねない」と、

ボノボとチンパンジーはホモサピエンスに最も近い類人猿である。

ボノボはかつてチンパンジーの仲間であったが、ピグミーチンパンジーともよばれる。

アフリカコンゴ付近に生息しており、大河を挟み互いに交わることなく何世代にもわたり生活してきたため違う仲間に分かれた。

チンパンジーはどちらかといえば、男性社会で、集団と集団で対立することもあるという。時には殺し合いもする（戦争？）という。

ボスの雄猿がおり、集団全体を支配している。上下関係が出来上がっており、集団の外部のチンパンジーに対しては敵対的な態度をとることも多いという。

一方ボノボは、女性中心社会で、オスが中心になることは少ないという。母親のサルは時として、他の集団の子を養子として育て、その集団にも取り込んでいくということが多いという。

現代社会を見ると我々人類はどちらかというとチンパンジーの社会に近いのではないかと思えるとある学者は言っていた。

人間社会を見ると戦争するのはほぼ男だ（例外はあるが）。
女性を中心にするほうが平和でいられるようにも思えるのだが。

第7章　日本一国とひとつの地球

かつて江戸時代の後半、各藩の大名は一年おきに江戸に参勤交代していた。その時代、たとえば薩摩藩（現在の鹿児島県）は江戸まで40～60日かけて大名行列をしたが、一方現代、我々は地球の裏側に行くのにジェット旅客機によって、1～2日で行くことができる。各国言葉の問題はあるにせよ、こんなにも世界は狭くなり、自由に行き来できるようになった。

だからグローバル化はもはや避けて通れない道筋だと思う。

通信だって地球の裏側にいても自由に携帯電話で日本にいる日本人と話ができる。かつて手紙しか通信手段がなかった時代、飛脚は京都、江戸間を3日で走ったというが、現代ははるかに近くなった。

江戸時代から明治時代になったように、各藩ばらばらに政治をしていた時代から統一政府日本を作った時のように、世界が分断している現代をもっとうまく統一し、平和的に、戦争の起こらない世の中にできないのかと思う。

薩摩藩長州藩などと江戸幕府が大きな戦争を起こさなかったように[*注9]、世界各国が互いに戦争をしない世の中になれるのではないかと考える。

たとえば鹿児島県人が薩摩人ではなく日本人と考えるようになったように、人類ももっとグローバルな意識を持つことが可能ではないだろうか？

もっと教育により世界中の人々が大きな視点を持つことができるようになれるのではないか？

＊注9：大略的に見て江戸城無血開城のように、ドロ沼化した内戦状態にならず、比較的安定した明治時代に移行できた。

ＥＵ（ヨーロッパ連合）は第二次世界大戦によって、ヨーロッパの国々が戦場となり、敵対しあって殺しあったあの悲劇を繰り返さないように経済面から国境の壁を取り除いていくという理念のもとに考えられたときく。

これはグローバル化の進展により互いの国と敵対するのをやめようと考える私たちの考えのモデルでもあると思う。

日本が統一できたのは、相対する欧米列強諸国があったからだと考えるのは当然であろう。

日本が統一し、早く列強諸国と並んで強くならなければ、植民地化され、あるいは食い物にされるという危機感がそうさせたと考えるのもある意味うなずける。

では今我々に敵対するものは何かと考えた時、それはプーチン政権のロシアや、台湾との統一を考える習近平の中国と考えるかもしれないが、最も恐れなければならないのは地球環境問題だと思う。世界が一致協力して戦わなければならないのは、地球環境問題なのではないだろうか？

世界が分断して戦争している場合ではないと思う。地球温暖化という見えない敵と、我々人類は協力し合って戦うべきではないだろうか？

また、経済面ではアメリカドルが一番強く広まっているが、中国やEU、発展途上国も含めた世界の基軸通貨を作るには、金の存在を十分意識し、世界共通の通貨を作ることも可能であると思う。

経済面で現に、グローバル化で世界の連携が強まり、国境の壁も低くなってきてはいるが、教育の力も借りて意識的にも国と国との壁を低くしていき、世界平和につなげればよいと思うのだが？

もうこれ以上世界大戦は起こしてはならない。

通貨二元論

はじめに

日々生活する上で大切なお金。お金は金（ゴールド）と書きます。

人類最大の発明であるお金について考えてみました。

人類の歴史上、人と人との交流が始まり、最初は物々交換から始まりました。

その物々交換の対象として、希少な金属の塊や砂であった金（ゴールド）が流通しだしたのは、おそらく文明が生まれたころからだったでしょう。

人類は多くの民族の集合体でしたが、金（ゴールド）をめぐる争いも多く経験してきました。

今は、金は世界中にオリンピックプール3杯分くらい流通しているといいます。

そしてこの不透明化した時代に在って、人類にはこれから様々な試練が待っているものと思えます。

地球温暖化をはじめ環境問題は今世紀最大の問題になるかもしれません。そして不安定化する国家間の問題が戦争に発展しないようにコントロールしていかなければなりません。

人類が核兵器を持ってしまった現代の戦争は、非常に怖いものがあります。

グローバル化した現代、互いの国々と協調し平和に歩まなければならないはずですが、各国の経済問題すら他の問題とからみあって、コントロールするのは大変難しいです。

今回まずお金の世界から、経済の問題を日本に限って考えてみましたが、これは世界の問題とも十分に関連すると考えています。

明るい未来を子孫に残すために。

1　大規模金融緩和の失敗

昨今の我が国において、プライマリーバランスが保てない、そして異次元金融緩和により、中央銀行（日本銀行）は、大規模な国債保有率になってしまい、もはや本来の通貨の信用を守るため操作をしてきた市中金利の決定や、日本銀行券のお札である通貨の価値を決める、通貨の発行数量の決定裁量権が、機能しきれないところまで来ているのではないかと思われます。

この辺りは仮定の世界ではありますが、要するに国際的な為替問題を考えたとき、どんどん円安になっていくのに、日銀は何もできない、インフレが進んでいくのに、それを抑える手段が見いだせない。そんなところに来ていると思われました。

米国に対して2022年後半より日銀は大規模な為替介入という方法を使い、毎月約20兆円近くの外貨のための準備金を使い円買いを実施し、現在何とか円安を食い止めています。簡単にいえば、国債の発行残高は右肩上がりです。国債は国家の借金の借用書です。その借用書は売買の対象になり、市場があり、償還期限が来たら、日本は利息を付けてその国債という借用書の持ち主にお金を返さなければなりません。ところが現在の国家財政は、概算、年間120兆円使うのに、税収70〜80兆円しかないのです。残り30〜40兆円に対しては国債発行という借金をしてしのいでいるのが現状です。現在の日本銀行が約580兆円余りの国債を買い取っているようですが、またそれは国債を買い取ってお金を印刷して世の中に流通させるという財政ファイナンスのような政策をとっています。*注1

＊注1：ここで使っている数値は2023年3月現在のものです。

国債という借用書をうけ取り、その多くは国民の貯金した価値のお金で国に貸しています。また市場では海外の機関投資家や他の政府の中央銀行など、多くの日本国債を買い取っています。

プライマリーバランスという税収と国家財政の支出の均衡が保てる見込みはまだ立たないようです。

また、日銀が大量に国債を買い、それで刷ってできたお金を出しているということは、お金に労働やモノ、サービスといった価値が存在しないことになるので需要と供給の関係から、ハイパーインフレになる可能性が大きいです。

当然それは日銀の背後にある政府の政策の結果とも考えられるのですが。

昨今「MMT理論」や、「プライマリーバランスという考えは意味が無い」や、だれかが言っていた「日本銀行は政府の子会社である、国債の償還期限が来たら日銀はまたお金を刷って国債を買い取れば良い」などというのはナンセンスな意見だと思えます。MMT理論が正しいのなら税金を取らないでお金だけ印刷していれば国はやっていけることになりますが、そんな国はないし、そんな無税にしたら国家は破綻してしまいます。


かつて財政危機に陥った例として、ギリシャ危機や、第一次世界大戦後のドイツ、太平洋戦争終戦後の日本などがあげられますが、第一次世界大戦後のドイツは、財政逼迫のためお金を大量に印刷したら、ハイパーインフレになってしまい、樽一杯に紙幣を詰め込んでお店に行ったのに、パン1斤しか買えなかったという話は、有名です。

日本もかつて戦争で大量の税金、戦時国債を発行し、終戦後ハイパーインフレを起こし、円の下に、5銭、1銭という銭の通貨まで使っていたのですがデノミを実行し、最低通貨を円に変えてしまったことは、皆が知っていることです。

要するに、政府の失策によって中央銀行が通貨のコントロールを失敗するとデフォルトやハイパーインフレになることは歴史的に証明されています。

2　円安ドル高

昨今円安ドル高が経済界でのニュースになっていますが、物価が上がりインフレが騒がれている今、これは世の中がとんでもない方向に進んでいるのではないかと危惧しています。

確かにまだハイパーインフレがくる確率は日銀の難しく苦しい努力により、それほど高くないかもしれないです。が、この円安は主にアメリカのインフレにより、アメリカはそれを抑えるため金利をどんどん上げていることが問題なのだと思います。日本は大規模な金融緩和を実施し、大規模に国債を発行し日銀がそれを保有してしまったため、マイナス金利政策を変えることができません。

この日本とアメリカの金利の格差が、マーケットでは日本の円を売り、アメリカのドルを買う構図になっており円安ドル高がなかなか是正されません。

日本も金利を上げればよいように思えますが、大規模な国債を保有し、借金まみれの政府としては、金利を上げるということは赤字をより多くするということになりかねません。

その後日銀はイールドカーブコントロール（ＹＣＣ）の手法により、長期金利を０・５％まで認めるようになりました。しかし欧米各国はインフレ対策のため３～５％の金利政策を取っており、やはり日本との金利格差は大きいといえます。

また現在の日本の大規模金融緩和政策を続けるため、より多くの流通できる円が必要なので、ますます国債の発行量は増えています。

そして大局的にみて日本の通貨は売られ、欧米の通貨が買われインフレになっています。

２０２３年４月の段階でこの一年、コロナの影響もありますが、日銀は新たに１３５兆円の国債を発行したとのことです。そしてその多くをお金を作る日銀が引き受けています。

これでは限界が世界中に知れ渡っているというものです。

海外の投機筋などが、今盛んに金利のよくない円を売って（カラ売りも含め）、利息のよいドルやユーロを買っているように見えます。

インフレが止まらない一因は明らかに国債の大量発行にあると思います。それは日銀が金利を欧米並みに上げられないことが原因だと思います。

最後の手段といわれている為替介入もどこまで効果があるかはわかりません。

もし一般に国債を持っていて、あるいは普通に円で貯金している人たちまで、円に対して懸念を覚え、外貨貯金やドル建ての金融商品に移し替える動きが多く出てきた場合を大変憂慮しています。

それは円というお金の信用が失われることを意味するからです。

3　楽観的考えについて

楽観的に考えて、アメリカはある一定水準まで金利を上げ、インフレ率を低く抑えることに成功し、経済が回復してきたら、またドル安円高を望むだろうとの考えもあるにはあります。

アメリカ経済の今の金融引き締め政策がうまく行けば日本もかつての経済状態に戻れるだろうというものです。

しかし日本の場合、政府は大変大きな国債という名の借金をしています。それを日銀が半分近く持っており、また国内でも個人や企業、団体が、国債を多く持っています。

ユーロ通貨を使っているギリシャの場合は、国債が返せなくなってデフォルトしましたが、その多くはＥＵ圏の国々で肩代わりしてもらいました。

しかし日本の場合は、円が信用されなくなって、破綻した場合、直接日本が責任を負わなければなりません。

日本人の貯金は２１００兆円余りあり、今１２００兆円国債で借金をしていても大丈夫といいますが、その借金の責任は我々の貯金や蓄えで肩代わりしなければならないと思えます。

大きな問題が発生しなかったとしても、たとえば３０００兆円まで日本は国債を発行できるという意見もあるようですが、だから現状の国債乱発という借金体質を継続してよいものでしょうか？

もしそうだとして、将来子孫に何が残るのでしょう？

4　仕事とお金の関係を考えてみると

例えば日本は1億2千万人余りの国民で構成されていますが、これを仮に100人と置き換えてみると、お米や野菜を作ったりする農家や、魚を獲ったりする第一次産業の人は100人のうちの5人です（ここでいう数字はあくまで概念であって調査した数字ではないのですが）。

次にその食料品を加工したり、原油から作ったプラスチックなどをつくっていろいろな容器にしたり、あるいは農機具、機械を作ったり、いわゆる製造業である第二次産業の人が100人中10人いるとしましょう。そしてその他のサービス業である公務員から物を運ぶ運送業から、人々の旅行や外食産業から、医療関係、介護施設などいろいろなサービスを提供するいわゆる第三次産業に35人の人が従事しています。

これらの仕事をする人は、50人で、後の20人が児童や学生、幼児です。後の無職の30人は老人、主婦、金持ち、病人、重度の障がい者、失業者など、いわゆる狭い意味での仕事をしていない人たちです。

これらは国勢調査の結果などからわかってくると思いますが、時代とともにその構成は少しずつ変わってはきています。

しかしここで最後の30人の無職の人たちは、現役時代などに貯めた貯金というお金や、社会保障といったお金で生きています。また児童や幼児、学生たち20人は50人の働く人に扶養されています。


しかし今回のコロナウイルスのロックダウンの影響などから、生きるために最低限必要ないわゆるエッセンシャルワーカーなどと、教育機関などできる限り運営されていなければならない産業と、ほとんどあまり必要でもなければ、不要でもない産業まで、その階層がわかりました。

もし、生きるのに最低限度必要な仕事をする人が、一斉に仕事をやめ、悠々自適な富裕層の生活にでも入ったとしたら、われわれは1カ月と生きられないでしょう。

その人たちが仕事をしていてくれるおかげで我々は生きられるのです。


そしていくらお金があってもそれを稼いで働いてくれる人がいるからこそ社会が回っているのだということもよくわかりました。

そんな大規模金融緩和の中でのお金というものが、国債という借金によってジャブジャブに市中に出回っていたらどういうことになるでしょうか？

社会で仕事に従事する我々の構成要素のバランスが崩れやしないかと心配です。

社会情勢が全く変わらず、現状のまま変動なく世界情勢も、国内の情勢も維持されるとしたら、事は何も起こらないでしょう。しかし世界情勢を見ても、地球温暖化の問題などわれわれ人類の喫緊の課題が突きつけられたとき、日本国内でこんな問題を抱えていたということが衆目の事実となれば、これは穏やかならざる問題に発展する可能性があります。

また、コロナの問題は終盤戦と思われますが、ここにきてウクライナでの戦争です。市中に出回る輸入品はどんどんと値が上がり社会の産業構造までも変える事態になってしまいました。

世界は今後もどのような変化が起こるかわかりません。だから国家の経済運営も、事なかれ主義では済まされず、あらゆる危険性に対処できる柔軟性が要求されます。

日本は資源の乏しい国です。本来頭脳で外国と勝負してきた国です。

経済の世界は、どう変わっていくのでしょうか？

それを検証してみて、もし経済がうまく回らなくなった時、あるいはそうなるのが確実と認識される事態になったとき、どういう手段を講じなければならないか、それを検証してみたかったというのが今回このような文章を書こうとしたきっかけです。

これは単に悲観的に考えての結果ではなく、問題を問題として認識し、その解決策を探るための試みのひとつととらえていただきたいと思います。

将来、不幸な結果を多くの人が経験しないため考えてみたいです。

5　混乱の時期に備えて

今まで人間がお金を持って以来、お金は一種類でした。すなわちその一元的通貨だけで経済学は論じられ、金融システムは動いてきました。現代の電子マネーも一元的にできています。でもなぜお金は一元的で、一種類でなければならないのでしょうか？　利便性が良いのはわかりますが、必ずそうでなければならない理由がわかりません。

今のところこの通貨二元論は、消費者である我々が、通貨を使う立場だけから考えています。

だから供給元である日銀や他の銀行、政府の立場については詳しく考えていません。金融の観点から考えると、現代出来上がっている一元的通貨による現代の資本主義体制そのものともかかわってきますが、とりあえず私は、今回お金を使う一消費者として、あるいは経済学の素人として考えてみました。

私が通貨二元論を思いついたきっかけは、現在使われている一元的なお金というものが、労働者にとってあまりにも生産性重視で、人間性を阻害しているのではないかと思ったからです。しかし生産性追求のエネルギーは残さなければなりません。そこでその両者を分けてみてはどうかと考えました。

現行ではこのような考え方は、今のところ私は見たことも聞いたこともないのですが、案として、現在分割されている軽減税率が採用されているものと、そうでないものをとりあえず理解しやすいので、分けて考えてみました（非常に安易な方法とも思えますが、一般社会に受け入れられる方法として、まず世の中に理解される仕組みとして考えてみました）。

そこで現行通貨円と、新たにベーシックインカム的に導入しようとする通貨両としてみます。

最初は地域振興券のような認識になって通貨両を広めていくのもよいかもしれません。

そして、現在軽減税率（８％）を適用しているものの対価を両、その他の10％税率を適用しているものは今までのように円で利用できると仮定してみました。

現行の軽減税率が適用される品目は、主に食料品店で売られている、購入して持ち帰る商品などに限定されますが、生きていく上で最低限度必要なものと考えています。

当然衣食住のすべてではないのですが、考え方として、生活していく上で最も基本かつ不可欠なモノの例として位置づけてみました（これは当然考え方の説明であって、そののちには、生活していく上で最も基本かつ不可欠なモノの位置づけを変えていかなければならないと思いますが）。

この場合、普段から、両と円両方の通貨を持たなければならないという問題はあります。

しかしデフォルトあるいはハイパーインフレのような事態になった場合このように若干複雑なシステムになっても許されるのではないでしょうか？

かつて、戦中戦後の経済混乱の時期には、多くの品目のものが配給切符の対象になっていたと聞いています。現金のほか配給切符も離せなかった時期の面倒さを考えれば、円と両の二通貨が存在しても緊急事態であれば、人々の理解が得られるのではないでしょうか？

約40年前、２カ月間ネパールに行ったことがありましたが、当時のネパール国内では、ネパールルピーとアメリカドルが同時に並行して流通していました。もちろん一般庶民は主にネパールルピーを使っているのですが、不安定なルピーよりアメリカドルをより富裕層は重宝していました。

ルピーとドルの為替レートは決まっていましたが、ドルからルピーの両替は簡単ですが、ルピーからドルへの両替は一般的には困難で、ネパール人はアメリカドルを特にほしがっていました。当然国家の決めた両替レートとは別にヤミ両替商がいて、高いレートでネパールルピーに変えることができました。

ここで注目したいのは、二通貨が共存できるということと、その二通貨間の両替をうまくコントロールしなければならないということだと思います。

6　両という通貨

まず両だけは通貨として経済の中で絶対最後まで信用を守りぬきます（そして今のところ通貨両は通貨円より小規模なものを目指します）。

そのようなシステムを作り出すのです。

もともと私の考えとして、世界的に信用がある金（ゴールド）を通貨両の裏付けに使い、貿易などの際には、金取引をも可能にするという方法を考えていました。

しかし日銀は２０２０年末７６０トン余りあった金塊を取り崩し、売却を開始しているらしいのです。アメリカドルを増やしているということです。できれば、ある程度の金（ゴールド）は日銀が今のうちに買い戻し、保有していてほしいものです。金本位制にして、両を兌換紙幣にするほどのことはないと思われますが、国際間の貿易において、現在の通貨円が信用を失ってきた場合には、金（ゴールド）は大いに重要と考えます。

＊注２：ＥＮＤ－２０２０ ＩＭＦ、ＢＩＳリザーブセントラルバンク　メタルズフォーカスによる。

両を流通させるときの財源として金（ゴールド）は重要であると考えます。ベーシックインカム的に流通させるなら、年金や様々な生保護費など社会福祉費を充ててもよいようですが、それではおそらく反対意見が多いと思います。

また、現在の日本円が危機的状況になるときは、欧米諸国の通貨も安全であるとは限りません。また開発途上国との関係を考えた時にも、中長期的に考えて単に米ドルだけに頼るより、金（ゴールド）を重視したほうがよいと考えます。

そのような事態になった場合は、当然金が世界的に意味のある通貨にもなりうると考えます。

分配はベーシックインカム的に、たとえば1カ月一人当たり10万両全国民に給付します（一両の価値はもっと弾力的に考えればよいと思われますが）。

両は第二日銀で発行します。両は第二日本銀行券です。

ここでいう第二日銀とは現在の日銀（日本銀行）と同じくらい権限のある、国家的経済危機の時は特に能力を発揮してほしい第二の日本銀行です。

先ほど述べたようにまず軽減税率を使っている品目のみに流通させます。

両が集まる、例えばスーパーマーケットなどからは第二日銀の出先機関である銀行で集金と、一部分通貨円の両替をします。

蓄財として、両が一部機関や個人に大規模に集中しないように管理します。市場原理で動くのではなく両は管理された通貨とします。

生産者側にも両は配られるわけですが、先程の話のように、たとえば1カ月一人10万両だけです。

そして両の預金はできますが、一時的な保管場所に銀行を使うようにし、金利は両には発生しません。世界的金相場に両の価値は連動させます。

なぜベーシックインカム的に流通させるのに、ベーシックインカムではなく、通貨両にするかというと、ベーシックインカムの一元的通貨は、市場経済で使われる通貨円と同じで、その通貨円は生きるために必要なお金であるにもかかわらず、ギャンブルにも使えれば、どうでもよいものに変えることもできるという点が問題だと思います。

また、国家的経済危機に見舞われた時には、そのベーシックインカムで分配される通貨円も危機に見舞われる可能性があると考えます。だから通貨円と分離し、通貨両をつくってはどうかと考えました。

国家的経済危機時には、多くの低所得者層に現行のままだと大被害が生ずると思われます。

被害が大きいのは社会的弱者や、経済的弱者です。

餓死者が出るかもしれません。

そのような状況をつくらないためにも、両という別の価値の通貨をつくれば、たとえ通貨円が危機的状況になっても、通貨両が無事であれば、すべての国民が最低限の生活が保障されると考えます。

一時的に米ドルを流通させればということを、藤巻健史さん（経済評論家）は考えてみたようですが、それはないだろうとしていました。[*注3] 同感です。それよりも独自の通貨両を新たに発行するのが良いのではないかと考えます。そしてその通貨両は日本独自のものです。

＊注3：「ドルの法定通貨化は、ハイパーインフレ以降盛んに決算に使われるであろうドルをその

まま法定通貨として採用し、円を法定通貨から外す方法ですが、さすがにこれは国の威信にかかわると思いますからしないと思います」(『Xデイ到来』206頁)。

7 通貨円

現在われわれが使っているのは通貨円です。

現代の円という通貨は、信用そのもので成り立っています。国際的に見ても、通貨というものは、現代では基本的にその国家の信用で成り立っています。だから信用をなくすと意味のないものになってしまいます。お札は紙からできているから、信用を失えばただの紙切れだといっても過言ではないでしょう。だからそう簡単に現代われわれが使っている通貨円の信用をなくすわけにはいきません。

結局、現在われわれ日本人は通貨円で生活して、その部分に、少しずつ通貨両を入れていき流通させようと考えます。だから一般経済活動は通貨円で行いベーシックインカム的に国民に通貨両を配る形で流通量を増やしていきます。現行市場社会は通貨円で動きます。

基本われわれは通常の社会活動において、会社があり、通勤があり、いろいろなものが流通しており、それらは通貨円の元での経済活動によって動いています。だからそれを危機的状況にない現代は、続けていてよいと思います。

為替や株式の市場をはじめ、いろいろな市場も現行は、通貨円で動かしていくべきですし、それぞれ日本国民は通常生活を送っていればよいと思います。

また両から円への両替の道も作らなければなりません。

8　通貨を二元化するタイミング

しかし先にも述べたように、一元的通貨円だけではどうしようもない場合がくるのではないかと危惧します。

そのような事態がほぼ確実に発生すると現在の日本銀行や、政府の財政諮問機関などが考えた場合に、第二日本銀行は本格稼働します。

もちろんいつでも第二日本銀行が稼働できる準備をしておき、その前の財政が苦しくなった段階で、通貨両の発効を宣言し、実行に移します。

両の財源は、前にも述べたように、現行日銀で積み立てておいた金（ゴールド）です。だから第二日銀は通貨両というお札を印刷し、その裏付けとして、積み立てておいた金（ゴールド）を充てます。

ここまで述べてきた両は、本来の目的として、現行の通貨円が、特に生産性重視であり、通貨として人間味をもった人間性を追求するべき通貨になればと考えていました。

しかし現行の超高度化したこの経済社会では、二通貨を同時に流通させる利点とその余地は見いだせません。しかし今回の世界的インフレと、わが日本国の中央銀行日銀が危機的状況になってきて、大変な通貨危機が訪れた時、この通貨二元論は可能性があるのではないかと思えます。

確かにこの危機は、多くの人々に不幸的に働き、国家政策や、財政も大いに乱れることが予想されます。これは最初に述べたように、国債という借金が右肩上がりで伸びているということ、そしてプライマリーバランスという国家財政収支の黒字化の見込みが立たない点など、現状のままでは決して楽観視できず、大きな時限爆弾を今わが国は抱えているに等しい状況である以上、危機到来時のショックをいかに小さくすべきかというのが今の課題だと思います。

だから、日本国家がそうなる直前には一時的にせよ通貨二元論の発想で乗り切るのが良いのではないかと考えます。

少なくとも危機が発生する前の早い時期から、現行の通貨円だけの市場に通貨両を新規発行して、流通させる準備をすれば良いのではないかと思います。

両という通貨の流通の仕方、両替方法や銀行のシステムは専門家が考えていただきたいです。また法律に関しても専門家に委ねたいです。

9　円と両の両替、個人の銀行口座の考え方

円と両の両替レートは、当初1対1が望ましいと思いますが、円の暴落やハイパーインフレが始まった時点で円安両高のレートに移行していくものと思われます（変動相場制を執った場合）。

しかしただ対等な通貨としてだけの通貨両であればその存在は、円の信用失墜と同時に両の信用もなくなっていくでしょう。

そのため両は例えばマイナンバーと紐づけし一定額以上の蓄財は禁止し、両の収益があり、仕入れや両を含めた賃金の支払いなど両替比率、割合など現日銀と第二日銀が一般銀行に指導し通貨管理しなければならない項目は多いと思います。

（財務省、日銀、第二日銀で代表的なコンピューターソフトをつくるなどの方法を考える）

産業の構造上現在の軽減税率の項目を両で流通させると、どうしても通貨両の偏りができるので、円と両間の両替制度は必要です。だから円でなければならない需要と供給のバ

ランスと、通貨両の需要と供給のバランス両方を、個別に存在させます。
もしこれがうまくいき、軌道に乗ったら、財源にもよりますが、当初の軽減税率項目から、介護、福祉分野へと通貨両の流通範囲を広げていってもよいでしょう。

両は金による裏付けを行うため多国間の貿易など、金取引も視野に入れます。

方法は、軽減税率の制度と、ベーシックインカムを参考にして、機会は国家財政破綻しそうな時、と考えます。だから財政破綻の救済策として、十二分に意味を果たしたらそれで終わりではなく、できればその先も考えてみたいです。

藤巻健史さんも、かなり悲観的な意見をお持ちで、Xデイが到来したとき、国家経済は大混乱すると予想され、危機時日銀が完全に機能しなくなった時点で、別の中央銀行をつくらなければならないと考えていらっしゃるようでしたが、一元的通貨円の交換を新しい中央銀行が行います。それにはある一定期間をおいて、現在の財政ファイナンスの結果生み出されたうみを完全に出し切るまで間をおくだろうとおっしゃっていたようですが、その間、経済的弱者や社会的弱者は死活問題に陥ると思われます。*注4 そういう事態を避ける意味でも通貨の二元化を実行し、乗り切るべきではないかと私は考えています。

＊注4：「預金封鎖と新券発行」や「新中央銀行の設立」が始まるのは、ハイパーインフレが起こって国民の財産を十分国が吸収し、財政再建が達成したのちだと思うのです（『Xデイ到来』109頁）。

あとがき

お金は信用で成り立っています。その信用がなくなる時が怖いです。日本の現代は円という一元通貨の時代です。また、日本国の通貨円はとてもマクロな経済の流れの中にあると思います（だからこの先どうなるのか予想も難しい）。だから正直言って、だれも正確に将来を予測することはできないでしょう。ですが、明日例えばハイパーインフレが始まるか、20〜30年後に始まるかは、わからないにしても、大きな国家的問題が存在するのですから、その時どう対処するか考えておくのは十分大切なことだと思います。

世界の通貨の価値が下がってきていると思います。それは金やパラジウムといった通貨とは別の資産の価値が、上がっていることを見ても解ると思います。20〜30年前1g1000円くらいだった金の値段は9000円以上になってしまいました。金の価値が上がり、世界の通貨の価値が下がりました。

この話をソーシャル・サイエンス・フィクションととらえるかどうかは個人の自由ですが。

かのアインシュタインは云った。

「一見して馬鹿げていないアイデアに見込みはない」と。

参照：

TBS　BS『報道1930』2022年7月4日放送

同　2022年7月19日放送

同　2022年9月5日放送

同　2022年10月28日放送

同　2023年4月28日放送

『Xデイ到来』藤巻健史（経済評論家、元参議院議員）著

地球環境を考えるとき

――２０１８年のある日――

ある日、地球儀をぼんやりしながら、くるくると回していてあることに気がついた。それは太平洋を見た時、そうミクロネシア辺りの上空から、地球を見下ろした時、地球はほとんど海に覆われた星であることに気がつく。

左下にオーストラリアやニュージーランド、右側にアメリカ大陸の縁が見えるが、この広大な海は、地球のほとんどを覆っていることに気がつく。

我々人間、いや動物、植物などの多くの生物は陸上で生活している。我々は、広大な大地の上で生活しているので、あたかも大地の星。地球と勘違いしているように思える。

しかし前述したとおり、地球は地球というより、むしろ海の星、海球、あるいは水球のほうが正しいのではないかとさえ思える。地球の表面は膨大な水という物質で出来上がっているのだ。

もし地球上の凹凸をならし、全くの球体にしてしまったら、地球は２０００ｍ？の水深のある海だけの星になってしまうという。

そう、広大な平野や山々のある地球も、海の広さと深さにはかなわないのである。

この豊かな海水の他、南極やグリーンランドの氷床、ヒマラヤをはじめとした高所の山々や極地の氷河、アマゾン川や多くの河川、カスピ海やバイカル湖など塩水、淡水にかかわらず大きな海や湖も目に見える形で存在する。

また大量の地下水、シベリアなどの永久凍土が地中には存在しており、空気中にはいつも雲が浮かんでおり、雨雪を降らせ、また眼に見えない水蒸気の形で大気中には多くの水が存在する。

生物の体をみてもわかる。人間は70パーセントの水でできているという。動物すべて水からできているが、植物も水からできており、その水無くしては生きていけない。

産業革命以後、世界の気温は1・5℃上昇したという。

そして、今後100年間に世界の気温が2〜4℃上昇するという。

このことは何を意味するのか。

気温が上昇すると南極や北極の氷が解ける。そうなると海水面が上昇するだろう。現に南太平洋のツバルの国では海面が上昇したため、高潮の時など、低地がほとんど海没し国家的な危機に直面している。

イタリアのベネチアは港の水位が上昇して広場が水没することが多くなってきた。

また世界中には多くの干潟やマングローブの林、そして白い砂浜が存在するが、海水面の上昇は、これらの自然環境に影響が出始めている。そして今後ますますその度合いはひどくなっていくことであろう。

このような海水面近くの干潟、砂浜、マングローブの林などには、多様な数多くの生物が存在する。

また海水面の上昇と共に、海水温の上昇も深刻だ。地球の海水はとくに熱帯地方の海で温められ、高緯度地方の冷たい海との対流を起こしている。

これが海流の正体だが、海水温の上昇は海流の流れにも変化をもたらすと考えられる。わずかな温度の変化である。しかしそれは海洋に暮らす生物にとっては深刻な問題となってくるだろう。


最近、かつて大衆の食材であったうなぎは、スーパーマーケットの鮮魚売り場で見かけることが少なくなり、我が家の食卓ではめったにお目にかかることがなくなった。秋のサンマも、かつてあれほど獲れた魚であるが、最近ではめっきり数が減り、生サンマに至っては、かつてあれほど安価で庶民的な魚であったが、普通の食材に変わってしまった。

確かに東南アジアや中国といった国々は豊かになり、彼等も日本食を食するようになってきた。彼等も独自の遠洋漁業により獲っているため、漁獲量が膨らみ資源が枯渇してきたのかもしれない。しかしアジやサバなど本州中部で比較的多く獲れていた魚が今では、北海道近海で豊漁となりつつある。

例えば、プランクトン↓サンマ、アジなどの小型の魚↓アシカなどの小型哺乳類↓シャチなどの大型肉食哺乳類、といったように食物連鎖によって密接に結びついており、その どの部分が欠けても、あるいはある種だけが増え過ぎても減りすぎても、海の生態系は成り立たない。

海水温が2〜3℃上がるということがプランクトンにどういう影響を及ぼすか、ということ。食卓に並ぶマグロの刺身の値段に今後ますます密接に関係してくることを想像することは難しくないと思う。

ここでもワイドな視点が要求される。

海水温の上昇は、日本への台風の性質も変えたようである。

海水面の温度の上昇は、大量の水蒸気を大気中にもたらす。大気の温度が上昇しているので、大気中で含むことのできる水蒸気圧が上昇し、雲の量も膨大なものとなる。

そして海流と同じく、地球上における自然の働きとしての大気の大循環の一つの台風が、巨大化してきたのである。

台風は950ヘクトパスカルを上回る（数値として低くなる）超巨大、超大型なものがたびたび日本、台湾、フィリピンといった国々を襲うようになった。

20～30年前まで、これほど頻繁に、このような巨大台風が、発生することはなかったのだが。

最近ヨーロッパと日本とを結ぶ航路として、ロシアの北の沿岸を通って、北極海が使えるのではないかと注目されている。

確かに夏の間、温暖化の影響で、かつて、そう100年200年ぐらい前までは、夏でも厚い氷で閉ざされることが多かった北極海は、今やその表面の2分の1の面積が解け[*注1]、広い海水面が顔を出しているという。

＊注1：この話は高校の教科書にも書かれていた。

確かに海上輸送という点から考えて時間、燃料コストなど、われわれ人類にとって膨大なメリットをもたらすであろう。

しかし1歩距離を取って考えてほしい。この温暖化があまりにも早く、規模が大きいということを。

確かに地球全体がすべて氷に覆われた時代や、逆に全く氷がなくなった時代など、過去の地球の歴史を学習したことがあるかもしれない。

しかしこれはこのような地球の歴史から見れば、今回の場合、瞬間ともいえる時間の、人類が生きた歴史の時間で、この変化が起きているという点に注目しなければならない。果たして手放しで喜んでいてよいのだろうか、と。

北極の動物の食物連鎖の頂点に白クマがいる。一方その餌となるアザラシは、氷で覆われた北極海の海で、空気を呼吸するために作った氷の穴の下の海で、魚を獲って生きている。

北極海の魚たちは、これもまた北極で暮らす、たとえばクリオネのような微生物を食料として生きている。

ここにも一つの生態系が出来上がっている。

しかしその氷の海が解けつつあるという事実。白クマは呼吸するため上がってくるアザラシが食料なのに、そこで猟をしてきたのに、その氷の海がない。

これは白クマだけの問題ではない。これは北極海に暮らす動植物すべての問題である。

本来生物は緩やかに環境変化していく中で、世代を重ね長い年月をかけ、進化してきた。しかしその緩やかな流れの中で環境が変化してきたからこそ発達し、その新たな環境に適応できるように進化してきたわけだが、今回の温暖化は急激すぎるのではないか？

恐竜たちが生きた時代、そう地球の歴史でいう中生代の末期、中米ユカタン半島付近に、直径10キロメートルほどの小惑星が落ちてきた。

たった10キロメートルといっても、はるか上空の大気圏外、宇宙からその星が落ちてきたので、それは広島型原爆の何万倍もの威力を持っていたと考えられている。
そのため土砂、砂、塵をまきあげてしまい、ごく短期間に地球環境が変わってしまった。日光は遮られ、急激に地球環境は寒冷化したと考えられている。
それはやがて恐竜たち鳥類の祖先と考えられているハ虫類をはじめとする多くの動植物たちを滅ぼしてしまった。

要するに急激な環境の変化に恐竜たちの進化はついていけず、結果絶滅してしまったともいえよう。そして恐竜たちの種はほとんど絶滅し、三畳紀、ジュラ紀、白亜紀と続いた中生代は終わった。

もし、今回の場合の環境の変化を、恐竜の絶滅から見た地球の歴史と関連させて考えた時、果たして人類はこの急激な環境変化の末、おそらく来ると思われる自然の大変化に耐えることができるであろうか？

これは飛躍した考えだ。人類はそんなにばかではない。そう考えたいのだが。


昨年の夏、日本は各地で最高気温を記録した。

パリも熱波で40℃以上を記録した。

大森林地帯を有するシベリア地方とその北部に広がるツンドラ地帯は、今その台地である永久凍土が解けだしているという。

冬極寒の地と思われている北極圏で雨が降ったのを、私は経験した。

南極大陸ではこの2月、20℃以上を記録した地域があったらしい。

確かに逆のケース、冬最低気温を更新した場所もある。

しかしこれは自然環境が大きく変動し、その振幅を増大させつつ温暖化に進んでいる結果と思われている。

10年、20年前まで、日本の冬の気圧配置は西高東低といわれるように、冷たく重いシベリア高気団と、日本東方の低気団に挟まれ、このような気圧配置が長く続くことが多かった。

しかしこの2〜3年そのような気圧配置があまり見られなくなってきた。要するにシベリアがそれほど冷えなくなってきたと思われる。

昨年は三陸海岸に上陸し、西に抜ける台風まで出てきた。

7月、日本は梅雨明けし、小笠原高気団が勢力を伸ばし、いわゆるクジラのしっぽといわれるような気圧配置になることが10年、20年前までは多かったが、昨年は小笠原高気団が大きく、またより高温多湿であるという事実により、特に関東地方では、高温注意報が多発し、気温40℃というような事態に発展した。

このような現象は、皆多かれ少なかれ知っている。しかしならどうすればよいか、その答えが、皆わからないし、今の生活を変えたくない。その結果、この現象はますます大きくなり、顕著になっていくことだろう。

本当に生存の危機がやってくるまで皆、意識として持てない。そこに問題がある。

そうなった時、この問題策、そう地球の問題を解決する策は今の人類には方法が見当たらないし、あったとしても膨大な時間とコストを要することしか考えられないであろう。

このような負の遺産を、子孫に残してよいのだろうか？

果たして自然が、解決してくれるだろうか？

参考紀行文

―２０２０年2月、フィンランド一人旅―

2月7日

午前11時30分。千歳空港発のフィンエアーでヘルシンキに向かう。途中、ロシアの沿海州を越えシベリア上空を飛ぶ。アムール川、シベリアの大森林地帯を眼下に見るが、意外と開発が進んでいて、更地も多いようだ。

9時間のフライトの後、現地時間14時30分ごろヘルシンキに到着。

フィンランド人の多くは背が高く190センチくらいある。男子便所の中の男子用便器が高く、つま先立ちして用を足さなければならないところもある。皆見上げる感じのフィンランド人は、一見シャイそうだが気配りが利いて、トイレの手洗い洗剤の使い方など、少し困っていると気軽に声をかけてくれる（フィンランド語だが）。空港で1万円⇓66ユーロ両替。日本でユーロに両替していったほうが良いようだ。

空港からヘルシンキ市内まで行くリングレールラインは、あまりよくわからなかったが改札もなく（フィンランドの駅は乗客の信用制度が確立していて改札が無いようだ）、来た列車に乗り、無事ヘルシンキ中央駅に着く。

途中ベビーカーを押している女性を列車の中も街もたくさん見かける。2月だというのに自転車に乗っている人が意外に多い。

少し雪は残っているが自転車を転がして車内に入ってくる人もいる。フィンランドでは自由に自転車を車内に持ち込んでよいようで、車内のスペースは広く作られている。窓から見える景色は、白樺の林のある公園のようなところが多く、とてもきれいな街だ。

来て良かった。感激している。もっと早く来ればよかった。トラム（路面電車）は、日本にいる時スマートフォンのHSLのアプリを開き、1週間のデイチケットを買っておいた。

グーグルアースの写真で見ておいたので、トラムはすぐわかった。泊まるユーロホステルもすぐわかった。受付の女性も感じよくすぐサンキュー、キートス（ありがとう）と言ってくれる。

部屋は小ぎれいだがシンプルすぎて、カーテンを閉めると一見独房のようにも見える。共同トイレは日本のほうがきれいに使っている。明日のレイトチェックアウト17：30を予約すると19・5ユーロ（1ユーロ122円くらいか?）。レストランも高い。ハンバーガーセット（16ユーロ）を食べ、お湯をもらって日本から持ってきたカップヌードルも食べる。

でもハンバーガーはとてもおいしくボリュームもあり野菜たっぷりだった。

こちらの11：30ＰＭが日本の６：30ＡＭ。妻にＴＥＬする。気温１℃、夜少しだけ雪が降った。

2月8日

夜は時差ボケのためもあって、なかなか眠れないというか、変な睡眠の取り方をしてしまった。現地時間3時には、目が冴え、いろいろ考え事をしたり、本を読んだりして8時（土日は、このホステルのレストラン8時にオープン）の朝食をとる。

9時ヘルシンキ大聖堂の前までトラムで行き、東西冷戦終了のことを考えつつ、ここで記念写真を撮る。

そしてヘルシンキ中央駅まで歩き、途中の土産物店で70ユーロ相当の買い物をする。そしてぐるりと歩いて回り大聖堂からトラムに乗りいったんホステルへ。公衆便所が無いのでトラムを乗り回してすぐホステルに戻らなければならない。そして休憩した後、ここのトラムの第４路線の終点にあるスーパーマーケットで現地の食品、ビールを買う。

昨日予約を、レイトチェックアウトに変更しておいたので、17時まで、シャワーを浴び、スーツケースをホステルに預け、リュックサックでラップランドのロバニエミまで行くことにした。

チェックアウトを済ませ、ヘルシンキ中央駅まで行き日本国内で手配しておいたユーレイルパスのバリデーションを済ませ（フィンランド国鉄の営業所は19時クローズ。それができないと列車には乗れなかったところだ）、長い待ち時間の18時から23時までヘルシンキ中央駅構内で過ごす。

夕食は中央駅に併設されているバーガーキングでハンバーガーとコカ・コーラのセット（8・75ユーロ）を食べた。コカ・コーラはセルフサービスだが、もう一杯飲みたくなった。飲み放題なのか？　でもお替わりする人がいないのでやめた。時間を稼ごうとしたが、すぐ混んできたので出てしまった。

用を足したくなったが、公衆トイレはどうやら有料トイレ。1ユーロコインをマシンに投入して入るのだが、そのゲートはやたらと頑丈にできていて2～3秒しか開かない。まず人の入り方を見ていたが、コインを入れたのにコインは戻らず、しかもゲートは開かない。一瞬焦っているが結局、バツが悪そうにあきらめる中年男性がいる。うまくコインを入れ何もないように入っていく人もいる。若者は、1ユーロコインを入れたのにゲートが開かないし、返却口から戻っても来ない。結局、コインを受け付けてくれた人が入っていく2〜3秒の間に、突進して一緒に入らなければならない。私も我慢できないので1枚しか持っていない1ユーロコインを投入してみるが、今度は私の場合、コインを受け付けてくれず返却口から出てきてしまう。何回やってもダメでしかも他の2ユーロコインや、50セントコイン2枚は使えないと、そこにいた別の黒髪の白人の女の子は言ってくれる。その女の子も受け付けてもらえなかったようだ。彼女は私の1ユーロコインを取って何回もチャレンジしだした。でも受け付けてくれない。困りだしてきたが、10回くらいやってみたら突然ゲートが開いた。やった、と急いで二人でゲートを通過して中に入ることができた。もちろん男女は別だし、トイレの中が汚れているわけではない。トイレで用を足すのにこんなに達成感を感じたことはなかった。

しかしこの件で後数時間トイレを我慢する羽目に陥ってしまった。なぜフィンランドにこんな不便なシステムが存在するのか理解できない。

11：15PMやっと走るホテル、サンタクロースエクスプレスに乗れた。言葉を知らなくともここまでできるのだ。ビール2本飲む。この寝台列車のコンパートメントには、2段式ベッドとトイレと簡易シャワーがついている。

ヘルシンキ中央駅から一駅目のところで、何故か列車は長く止まっている。どうやら検札をやっているようだ。車掌がやってきてもう一人の同乗者がいると言っていたがまだ来ない。

やがて夜汽車は走り、下段で一寝入りし、起きるが朝4時になっても同室者は来なかった。

フィンランド人はシャイに見える人が多い。夜の中央駅では、ややはみ出し者の若者が多いようにも見えた。タバコを吸っている人が多い。健康に良くないことは皆わかっていると思うが、個人主義的なためか別に注意もしなければ人は人なのか、皆自分の世界を持っているようだ。

ヘルシンキ市内にはホームレス、いや物乞いをする人も数人見た。福祉の国ではなかったのか？　そこからはみ出した人がいるように見える。なぜそのような人を助けようとしないのか？　個人主義なのか？　良いと思える面と、悪いと思える面が見えてくる。

2月9日

4時間くらい眠ったか、頭がボヤッとしている。車窓から見ると全体として暗いが、東の地平線付近は明るい。でも上は曇っているようだ。

8時、空腹感が強いのでレストランカーに行ってみる。サンドイッチとコーヒーを買い（9・5ユーロ）ラウンジで食べる。外は札幌と同程度の雪だ。8時半ようやく明るくなり、景色が見えてくるが、黄昏時のようで完全に明るくならず、カーテンを開けても、室内はいつまでもライトを点灯していなければならない。

停車する町々は結構大きな敷地にIC産業会社のような建物が立っており、たぶん居住者だろう、外に出て歩いている。しかしすぐ列車は森林地帯に入り耕作地帯もすぐに無くなり、針葉樹の森へと変わる。高木はなく、ところどころ太陽光パネルの付いた家や、風力発電の風車が回っている。

このコンパートメントは最高だ。今回200ユーロくらいでヘルシンキ・ロバニエミ間を往復するが、ここでゆっくりくつろぐことができる。

ガタンゴトンと揺れる、このコンパートメントの中でシャワーを浴びる。白樺の森の中を寝台特急サンタクロースエクスプレスは走る。

白樺は北海道のそれと違って枝が目立たず、針葉樹の森のように垂直に、そして白い幹が暗い森の中でひときわ浮き出して見え美しい。

9：30ＡＭ、依然外はうつろな感じだが、風力発電の風車が森の中でひときわ高く飛び出し聳え立って見えるが、妙に違和感ない。

フィンランドの豊かさを物語っているようだ。

今回の旅でこのままうまくいけば、世界中旅することが夢ではなく、現実的に十分可能であると思えるようになってきた。

途中の街々は平屋の家がほとんどだ。ところどころ携帯電話のアンテナと思われる高い塔が立っている。でも深そうな森だ。

フィンランド人はラップランドの不毛とも思えるこの地で、風力発電で電力を生み出している。北海道よりももっと過酷な自然の中で新しいことに挑戦しているようだ。

植林もされている。

午前9時30分なのに、電灯の付いている家がまだ多いケミの町の近くだ。

学校があり、ノルディックウォーキングしている人がいる。

巨大な煙突を持った大きな工場。大量の木材を積んだ貨物列車。材木を運ぶためにも鉄道を大切にしているのかもしれない。ケミには平屋だがスウェーデンハウスのような家がたくさんあり、どれも人が住んでおり、生活感のある家ばかりだ。

川は凍っており、たぶんこれはスポーツのスケート用の長いリンクで、そこだけが除雪されている。

列車は走る。

森の中は、動物の足跡でいっぱいだ。こんな森の中に突然アパートなどが立っていることもあり、そこでは犬を散歩させている人もいる。

森と人々の生活が一体化している感じだ。ノルディックスキーの跡。スノーシューの跡。そしてウサギやキツネの足跡。

クリスマスツリーのもみの木の森もある。雪は70～80センチメートーくらいか。

自然は北海道と似ているのに、北海道の場合は地方に行くとやたらと廃屋が目立つ。でもフィンランドは違う。どれも生活感のある家ばかりだ。空き家がほとんど見当たらない。どの家も一軒家ではなく、数軒の小さな建物からできている。世帯数に近い数のサウナがフィンランドにはあると、本で読んだが、どの家もサウナ付きということなのか？　どの家も豊かそうに見える。

10時、明るくなってきた。曇りだが北海道の道北の自然とそっくり。だが、何かが違う。フィンランド人は豊かだからか？

もうすぐラップランドの首都ロバニエミだ。準備しよう。

テルラビという小さな駅があって、老夫婦と思われる二人連れがスーツケースを橇に乗せ肩を寄せ合いながら列車から降りていく。

バックカントリースキーの跡やスノーモービルで線路の保線をしいているらしい跡もある。

山は見られない。丘だけだ。平地が続く。農耕地もあるが雪が積もっているので何の畑か分からない。牧草地もある。

こちらはどれも小さな家だが、均等に家々をばらまいたように皆独立し、プライベートな生活を送っているように見える。一方北海道は小さな集落が点在し、人々の居住空間と、自然とが分離しているようにも思える。こちらのほうが、人間は自然に溶け込んでいるような感じを受ける。例えば軽井沢か八ヶ岳の別荘地のような家々のほうが、こちらの田舎に似ているのかもしれない。

こちらの生活を見ていると、日本人はやたらと便利さや豊かさを追求しすぎているのではないだろうか。心地よさをあまりにも追求しすぎているのではないだろうか？　それで家庭生活を犠牲にしているのではないだろうか？　日本人はみな疲れているのではないだろうか？

こちらにはコンビニはない。ほとんどの店は夕方5時か7時には閉まる。ヘルシンキのような大都会でさえそうだ。土、日曜日も休みの店が多い。皆その時間は家庭にいるのだ。ファミリーをとても大切にしている。国民も政府も。そんな感じがする。そして皆豊かだ。そしてあまり格差を感じさせない（ヘルシンキの物乞いをする人だけは違和感が残るが）。

参考紀行文

ロバニエミに着く。

ホテルまで行く途中スーパーマーケットを見つけ食べ物、ビールなどを買い、25分程度歩く。

駅は北緯66度30分。北極圏まで数キロ足りない。気温0℃。2月の札幌と同程度の雪。重ね着して歩いたら汗をかいた。

ホテルで一寝入りし今日もジャンクフードかもしれないが物価が高いのでピザ屋に入り、ピザ一枚とビール大ジョッキ2杯（25ユーロ）飲んで帰る。妻に1分程度TELしてホテルで休憩した。

ホテルでシベリウスの曲を聴いた。ソニーのウォークマンを小さなスピーカー付きで持って行ったので結構いい気分で聴けた。右目が赤くなってしまった。結膜炎かな？

今回の旅は最初にオーロラを見たいと思ったのがきっかけだった。

一昨日泊まったユーロホステルは一泊７５００円朝食付きだったが、こちらのスカンジックポラールは１万４５００円朝食付きで２泊もする。高いがシャンプー以外にはアメニティーも無い。鼻をかみたくてもティッシュも無い。でもそれで良いのかも。日本やアジアの国々が過剰すぎるのかもと思える。雪が降ってきた。

2月10日

『フィンランド人はなぜ午後4時に仕事が終わるのか』堀内都喜子著。仕事も休みも大切にして自分らしく生きる。幸福度２年連続世界№1。しっかり休んで効率良く働く。夏休みは1カ月とる。一日2回コーヒー休憩。接待は夜とは限らない。計画に時間をかけず進めながら詰めていく。etc.

本はフィンランドの良い面ばかりが書いてあるが、良くないと思える面も見えてきた。物乞いをする人がいる。明らかにアル中と思われる女性や男性もいる。若者でヘルシンキ中央駅にいた人達は、ヤンキーあるいはアメリカンといったイメージの者が多い（これは国際都市で異文化が入っているので仕方がないか？）。ＥＵならではの問題——移民が多そう——黒人やヒスパニック系の人たちが多い。

今日は５時に目覚めた。久々にぐっすりと眠れた。

８時、朝食を食べるがユーロホステルと大差ないような気がする。雪が10センチ程積もった。８時45分、ホテルから出る。

９時半まで国道沿いの歩道を北に向かって歩く。ウォーキングや自転車の老人や若者とすれ違う。国道の除雪車は日本のそれより大型で強固な感じがする。塩化カルシウムもまいているようだ。

北極圏科学館に行ってみるが、休みで明日火曜日に来なさいと言っている。せっかく楽しみに来たのだが。

天気はみぞれでダウンジャケットはずぶ濡れになったので、一時間半ほど待合室で滞在して体を温める。

その後ホテルに戻ろうとするとバス停があり、サンタクロースビレッジ行きのバスがあったのでそれに乗ってみる。チケットはクレジットカード払いになっている。

北緯66度33分07秒のサンタクロースビレッジはちょうど北極圏の境に造られている。サンタクロースと一緒に写真を撮るのは1万円ほどかかりそうなので、絵葉書を買い、孫たちにサンタの手紙を書き切手一枚1・1ユーロで日本まで送った。外は3℃で完全な雨。

道路の雪は解け完全な水たまりとなっている。2月にこんなことはほとんど無いらしい。ホテルのフロントで傘が必要だと言ったら、フィンランド語でこんなことありえないとでも言うように、感情をあらわにしている。

夜、本場のサウナに入ってみる。サウナという言葉は日本語になった唯一のフィンランド語だそうだ。こちらのサウナに入るが、北海道の温泉にあるサウナとそれほどの違いは感じない。一杯飲んでスーパーマーケットで買ったパンを食べ寝る。

2月11日

7時、ホテルの朝食を済ませ、8時にチェックアウトを済ませ、歩いてロバニエミの駅に行く。天気みぞれ。またびしょ濡れになってしまった。

駅の待合室で30代くらいの一人旅の女性が来たので、日本人かと尋ねるとチャイニーズという。彼女は上海出身と言い話題を考え、コロナウイルスの話をしてしまった。病気は怖いねと言ったらプイと行ってしまった。彼女はコロナウイルスのことで、差別を受けていると思ったらしい。悪いことを言ってしまった。しかしこれは微妙な問題でもある。

列車に乗ると後ろの席に若いアジア系の女性が乗り込んできて荷物置き場のことを聞かれた。何とか彼女はその問題をフィンランド人に聞いて解決したようだ。

少し話をすると、香港の大学生とのこと。オーロラを見たという。5日前だそうだ。ロバニエミより少し北の町で撮ったスマホの写真を見せてくれた。

日本にも来たことがあるということで、サウナと温泉の話などしてみた。外は雨だ。9

時30分ごろ地平線から日が昇ったようで明るくなる。列車は出発し天気は良くなった。彼女は途中駅で下車し、ひとりの列車の旅は続く。

この列車に乗っているとフィンランド人は旅もとても大切にしているのだなと思える。赤ちゃん子供から老人、車いすの障がい者まで列車の旅を楽しめるシステムになっているようだ。二階建て列車の二階部分の階段上には、幼児が階段から落ちないよう柵の扉がついている。ベビーカーや車いすスペースも大きく造られている。

沢山車を積んだカートレインもある。

この国鉄（VR）も国民にやさしいように思える。レストランカーもあり二階建て列車だ。

なぜレールの幅はそれほど広くないのに、こんなに大きな列車を走らせることができるのか考えてみたが、フィンランドのこの路線にはトンネルが無い。平原を一直線に突っ走る。だからなのか？

隣の席に老夫婦とみられる二人連れの老人が乗ってきたら、重そうなスーツケースを網棚に上げてくれる中年男性がいる。笑顔で「キートスの言葉はいらないよ！」とか何とか言って。

晴れ渡った黄昏時といった感じになるが気持ちいい。オーロラは今回天気が悪くて見られなかったが、また来ればよい。この国が気に入った。

この国とシベリウスのイメージがまだ一致しない。100年前は大国ロシアに支配され貧しく暗い国だったのかもしれないが、今はそんな過去を感じさせない。

外はたぶん1℃か2℃だが、ロバニエミ、ヘルシンキ間の半分くらい来ると、雪は少なく春を思わせる。どこまでも続く白樺や針葉樹の森と草原。北海道よりはるかに自然が多く人口は少ない。

車窓から感じるのは、こちらの人たちは自然と戦っているというイメージが無いように思える。護岸工事や堰を作った河川が無いようだ。自然のまま流れる川はあるが、人口密度が低いので、自然災害が起きそうなところには住まなければよいのだろう（除雪に関しても、それほど積もらないようだし）。

日本と同じくらいの広さの国土。

そして、そこに北海道と同じくらいの人口。

南部に来ると文字どおり森と湖の国フィンランドの風景が見られる。行きは夜で寝ていたのでわからなかったが、このあたりになると、大小無数の湖が見られる。そしてその湖畔には小さなかわいらしい家々がぽつりぽつりと見える。

ラップランド、ロバニエミは最初マイナス30℃にもなるかもしれないと思い、完全装備で来てしまった。しかし雨が降ったではないか。

ラップランドのツンドラにも似たイメージは完全に壊れてしまった。でもこちらの自然を見て北海道を思うと、やはりフィンランドが勝る。

太陽は高度10度か15度しか昇らず、地平線を転がるように16時半ごろ沈んだ。しかしすぐに暗くならずに、また黄昏がながくつづく。

8時間かけ800キロ以上の鉄道の旅は、ヘルシンキ中央駅到着で終わった。

18時過ぎユーロホステルに戻る。なぜか我が家のようだ。ここはヘルシンキでは安価なホテルだが、今度は4階、共同のキッチンルームもある。これで日本から持ってきたカップ麺が食べられる。

夜レストランでハンバーガーを頼んだのにパンは使っていない。肉とかいろいろな野菜、スパイシーな具材をロール巻きしている。これは何かとメニューを示して聞いたがカウンターのウエイターは笑いながらハンバーガーだと言っている。創作料理とも言えるこの料理とビール（25ユーロ）を食べ部屋に帰って眠る。

2月12日

夜中に2回起き6時起床。7時、平日なので朝食がいまから食べられる。

栄養は朝ホテルで食べる朝食で摂っているような感じだが、バイキング形式で一通りのものを食べている。しかし肉食が多いためか痔っぽくなってきた。

8時半、まだ薄暗い中歩いて港を見てみる。

通年ヘルシンキの港は凍るそうだが、今岸壁には大型帆船が係留され、ゆったりとした波がそこに漂う船を映し出し、そのシルエットが美しい。

そして、トラムに乗ってフィンランディアホールまで行ってみるが、何故か閉まっている。雨でまたびしょ濡れ寒くなってきた。

トラムで引き返し第4路線終点のスーパーマーケットに行ってみる。お土産のビール、チョコレートウエハース、パンなどを買う。

店の前に昨日もいた60歳くらいか、の物乞いをする人の、握りしめ差し出すコップに50セントコインを入れてあげ、あなたはフィンランド人かと英語で話しかけてみた。しかし彼はキートスと言うだけでその目は何かおびえきっている。わからないのか言葉が出ないようだ。

この寒空の下、彼の身に何があったか知らないが、このまま放っておけばいずれ死ぬだろう。

個人主義は好きだが、物乞いをする人が文明国であろうと、アジアの発展途上国だろうと存在する事実。インドではカーストの中に物乞いという位（職業？）があるということを、一昨年前に、そこを旅して知ったが、フィンランド政府はどう考えているのだろうか？

昨年の12月、このフィンランド旅行の予行演習として、タイバンコクへ行ってきた。

暑いバンコクではあったが、朝の若干涼しい7時か8時ころ庶民の町を歩いてみた。そこには托鉢する若い僧侶と、その彼の前にはおばあさんがいた。乞食という言葉と托鉢する僧侶のことを少し調べてみた。

ヘルシンキ中心街の路上で雑誌を売っている人を時々見る。これはイギリスかアメリカの都市のホームレス救済策だと知ったことがある。しかしスーパーマーケットの前の物乞いをするこのおじさんはどうすればよいのだろう？

体も濡れたので昼、宿に帰りシベリウスの曲を聴く。交響曲第2、第5、アゼリア、フィンランディアを聴いた。濡れた体が乾くのを待つ。そして明日の帰りのフライトのチェックインを済ませる。

通勤時間帯、街を歩いていると98％くらいの人は黒かそれに近い色のコートを着ている。こちらが赤のダウンジャケットを着ているので、やたらと目立つ。もともとこの国民性は質素で派手さが無い控えめな民族なのかもしれない。

今火災報知器のテストをしている、ノープロブレムとのこと。このような安宿でもしっかりしてそうだ。

『八十日間世界一周』、子供のころその映画を見て、夢を描いたものだが今やインターネット、モバイルシステムの発達によりそれは十分可能になった。地球はそれほど大きくはないのだ。

2月13日

今日最終日。このユーロホステルの4、5、6階には共同キッチンがついていて、自分で料理を作って食べることができるのがわかった。若者が多い。今日も日本人三人組と二人組のフランス人とあいさつを交わした。自分が一番年長者のような気がするが、中高年バックパッカーにはもってこいのホステルだ。

今日の飛行機で帰る。いつか退職したらまた来たいと思っている。3カ月くらい滞在してもよいかもしれない（それ以上は滞在ビザが必要だ）。

2月の朝8時はまだ暗い。そして徐々に明るくなっていくのだが、高緯度のためあまりにもゆっくりと夜が明けるので、まるで黄昏時であるかのような、このまま夜がやってきそうな錯覚に陥る。

ラップランドの冬至のころは、太陽は地平線の上に昇らない。この感覚のようにそのころのラップランドでは、おそらくそういった一日になるのであろう。

ヘルシンキの夜明けは日の出まで1時間半くらいかかる。そんな感じだ。

朝食のメニューは毎日同じ。少し飽きてきたが今日帰るのでまあいいやという感じだ。テレビを見るとほとんどがフィンランド語かスウェーデン語かロシア語か、さっぱりわからない。BBCなどごく一部は英語だがそれもほとんど意味不明。天気予報はEU全土。キッチンに行ってみるとドイツ人、フランス人、日本人、ヒスパニック系や北欧人。実に様々だがEUは広い。

外を歩いていると父親とその子供連れが実に多い。ベビーカーをひとりで押している男性もいる。日本とは違う。

ファミリーを皆一番大切にしているように見える。また国の制度もそれに重きを置いているように見える。

街中を歩いてみるとマリメッコといったブランドや、スマートなデザインの家具や、美しいデザインのディスプレイが見られる。しかしそれは日本のきらびやかさと違って、妙にシックな感じで真面目そうなフィンランド人の感覚に合う。ネオンがぎらぎらした看板などはなく、ほとんどフィンランド語の小さな看板が目に付くだけで、何と読めばよいのか全く分からない。通りの名前もフィンランド語で書いてあるが、ウムラウトがいっぱいついていてどう発音すれば良いのか全くわからない。

そういった店は石造りのヨーロッパ建築の1階部分にあるが、それほど店舗の数が多いわけでもなく、商品は日本の2〜3倍もするような高価なものばかりである。

薄利多売が見当たらない。ほとんどの店はガラガラで、スーパーマーケットだけがいつも数人のお客に会う程度だ。

ホステルの窓から見えるアパート、マンション？は窓越しではあるがどの家もインテリアにお金をかけ、美しくしているようだ。

11時、チェックアウトし、ヘルシンキ中央駅までトラムに乗り、そこからリングレールラインに乗り12時過ぎ空港に着いた。出国審査は入国審査同様、直接口頭で審査官と英語でやり取りする。かなりめちゃくちゃな英語だが、ロバニエミに行ってサンタクロースビレッジに行って、孫にサンタの手紙を送ったと言ったら、いかめしそうな顔が笑いに変わり通してくれた。

ちょっと早かったがビールとハンバーガー（10ユーロ、安いほうだ）を食べ、53番ゲートで待つ。ゲート横には昼寝コーナーもあり、空港自体結構広いが行き届いていると思う。うつらうつらして時を待つ。日本のコロナウイルスの感染者は２００人を超えたとニュースで言っているようだ。日本入国の検疫が面倒になっているかもしれないが。すこし喉が痛いくらいで、咳も熱もない。無事終わった。あとはフィンエアーでユーラシア大陸を越えるだけだ。

来て良かった。やや薄暗い黄昏時、日本北海道へと帰国の途についた。

2月14日

北海道千歳空港に飛行機は着陸する。さてこれで帰ってきたと窓を見ると、雲の中で何も見えない。でももう到着だと思った瞬間、下降を続けてきたこの旅客機がいきなり上昇しだした。隣にいたボスニア人？の32歳の若者はスキーをしに北海道まで来たとのこと。かつてスペインマドリードから、ロシアのウラジオストクまで一台の車にスキーを積み込み、4カ月かけて旅したことがあると話してくれた（たぶんそういう意味だと思う）彼は、急上昇するこの旅客機の中で動揺しているようだ。旅客機は千歳空港上空を旋回しながら3回ほど着陸を試みたが、上空に戻り東に移動し始めた。

霧のため着陸できないので帯広空港に向かうとのアナウンス。なんてことだと思ったが飛行機は釧路空港に着陸した。

ここで給油するという。9時間かけヘルシンキから帰ってきたが釧路かよ、ここは国際空港ではないので降りられないらしい。

やがて検疫官が乗り込んできて、全員熱がないかチェックし始めた。機内はざわついているが、長いフライトでみんな疲れているためかだれも文句を言わず座っている。

やがて検温は済み、給油も済んで、午後になってしまったが千歳空港に引き返し、今度は無事着陸した。

今回の旅は実によかった。あとでわかったことだが、やはりフィンランドも記録的な暖冬だとのこと。

しかしフィンランドにいてひとつとして嫌な思いはしなかった（小さな気になること、謎はたくさんあったが）。


旅は楽しい。

特に一人旅は大きな冒険だし、好奇心を満たしてくれ、ロマンにも浸れる。

自分を振り返ることができる。

自分自身の休養の場は発見の場でもある。

自分の感性を磨くこともできるし、その感性を再発見させてくれるし、旅はいろいろ考えさせてくれる。

ぼんやりと眺める景色や人々の営みの中には、いろいろな背景や事情があるだろう。いろんなことがいっぱい詰まっているだろう。

文化、歴史といった海外での事情は、日本や北海道の違いとも対比し考えさせてくれる。

自分のことも、自分の住んでいる世界のことも、外から眺めてみて客観的に判断するチャンスを与えてくれる。

気象条件はやはりこちらでも異常だし、危惧しているということも。ここまで来てみると、自然はかけがえのないものなのだということも。

本当に地球は丸く、世界は一つで美しいものだと実感できる。

そして宇宙に囲まれているということも。


私は今還暦を過ぎたシニア世代となった。おそらく20代の時に来ていたら、今回のように考え感じ取ることはできなかったと思う。これはシニアの特権だ。

北欧が好きになった。また北欧の旅を楽しみにしようと思う。


職場の皆さま、雪の多いこの時期に、連続休暇をいただいたことを本当に感謝します。

■追記

フィンランドの消費税は三つに分かれている。ロバニエミの路線バスは4ユーロ、でも10％の消費税を取られていた。宿泊費も10％、ユーロホステルの明細書を見ても10％になっている。書籍類、新聞、医薬品、映画鑑賞、トレーニングジムも10％とのことだ。

2番目が14％、食料品、外食が14％になっていた。スーパーマーケットでパンを買っても14％になっていた。レストランでステーキを食べても14％、ただレストランで飲むビールは違った。

そして3番目が24％、お土産には24％の税金が課される。要するにその他の商品サービスは24％のようだ。スーパーマーケットで買う350mlのビール缶は1本90セントと安い。しかしレシートでは24％の消費税が書かれている。煙草も24％。

旅行やスポーツ、映画鑑賞といった娯楽が最も安い10％というのには驚かされる。食料品よりも消費税が安いのだ。長く暗い冬をいかに乗り切るかに重点を置いているからか？それとも国民性か？

フィンランドの物価は消費税とともに高い。

ロバニエミで乗った20分程度の路線バスが4ユーロ。約500円と高い。でもVR（国鉄）は、ヘルシンキから北のロバニエミまで825キロの旅だったがその料金は、日本の周遊券のようなユーレイルパス4日分（実際には2日分しか使用しなかった）がシニア割を使って131ユーロ。それに特急寝台券55ユーロ帰りの指定席特急券は14ユーロと、全てで往復200ユーロだった。これだけ列車の旅を楽しめたのに、この値段は安いと思う。

ヘルシンキ中央駅のバーガーキングは、ボリュームあるハンバーガー1個とビッグサイズのコーラで8ユーロ75セント。

ヘルシンキのユーロホステルのレストランで飲んだグラスビール（0・4リットル）は7ユーロ50セント。日本まで出した絵葉書の切手代1枚1ユーロ10セント。

両替手数料は高い。キャッシュレス社会が進んでいて両替商は儲からないのかもしれない。ヘルシンキで、最初に空港で1万円両替したら66ユーロ99セントにしかならない。ヘルシンキ中央駅で2万円両替したら151ユーロ90セントだった。なぜかわからないが、両替は日本でしていったほうがよさそうだ。

キャッシュレス社会が進んでおり、ほとんどの店でクレジットカードが使える。ロバニエミの路線バス、スーパーマーケット、土産物屋、どこもクレジットカードだ。ヘルシンキのトラムはスマホのアプリで申し込み、決済し、スマホ電源ONの状態で乗車した。日本に帰って明細書を見るのが怖かったが、日々レートは変わるものの1ユーロ122円00銭から122円76銭だった。

鉄道のシステムも、日本のそれとは随分違った。まず駅には改札がないという事。乗客は信用されており、無賃乗車しないようにというような、改札がない。しかしたまに検札をやっており、トラムも無賃乗車がバレると2万円近い罰金を取られるという話だった。

トラムはHSLのアプリを開き、あらかじめ5段階に分かれた地域の3段階目の1週間パスを、約1万5千円で、クレジットカードを使って乗車運賃を払っておいた。そしてトラムに乗る時はそのアプリのスマートフォンの電源をオンにしておき、いつ検札があっても良いように備えていたが、結局十数回乗ったトラムには1回も検札はこなかった。

トラムは、運転手が乗っているだけで、チケットを買うのもややこしいシステムになっているように思える。利用者は高齢者も多かったが、どのようにして運賃を払っているのか？　定期券のようなものを持っている老人が多いようではあったが。

空港からヘルシンキ中央駅までのリングレールラインの列車は大きく広く作られており、自転車を転がして車内に入ってくる女性もいる。要するに広くゆったりしており、自転車やベビーカーは自由に乗せることができる。プラットフォームを自転車で駆け回る若者もヘルシンキ中央駅では見たが、さすがにこれは危なっかしいので自転車走行禁止の看板があったが。

乗用車も比較的多いようではあったが、通りには縦列駐車する車でうめつくされておりあまり自家用車を持ちたいと思わなくても良いほど網の目のようにトラムの路線がヘルシンキの中央部では張り巡らされている。

おわりに

海洋を旅するとき、かつては帆船、今日でもヨットなどを使うことによって、自然エネルギーだけを使って実行することができる。

そのことを考えたとき海洋では自然エネルギーのみを使って旅をすることができるが、陸ではどうだろうかと考えてみた。

荷物を多く積める電動バイクを買って、ソーラーパネルとバッテリーとテントを積んで、ソーラーの電気のみをキャンプ場などで充電し、使って旅ができたとしたらどんなにすばらしいだろう。CO_2を全く出さない旅を考えてみたとき、これが実現できれば、すごく面白いと思う。

冒険、探検、パイオニアスピリッツなどという言葉を考えて、かつて南極点到達レースをしたアムンゼン隊、スコット隊のことに思いをはせ、人類で何を最初に果たすか、これはおおいに意味があることだと思う。

かつてコロンブスや、マゼラン（世界一周を成し遂げようとした）や、エベレスト登頂レースをしたマロリー（なぜ山に登るのか、それはそこに山があるからだと答えたときく）のように、最初の一歩を踏み出した人がいたから今日があるのは事実だと思う。

人間は旅が好きだ。でもその行為は果たして地球環境にどこまでやさしいといえるか、ということを考えてみた。

そして今、時代は、気候温暖化を何とか抑えて、なおかつ人間性を失いたくないと考えた時、ソーラーパネルを積んだ自然エネルギーだけのバイクの陸の旅というのも、冒険として面白いのではないかと思う。

これはおおいに今のシニア世代にも考えていただきたいことである。体力的には若者にはかなわない。肉体でレースしようが、どのようなスポーツをしようが、若者にはかなわない。しかし経験豊富なシニア世代なら、アイディアでこのようなアドベンチャー的なこともできるのではないか？

私は競争したり人と争ったりするのはあまり好きではない。でも人間性の限界に挑戦したり、新境地を切り開き、あるいは未知の分野を知るような行為が好きだ。

今そんなことを思う。


そして今後約50年、半世紀のちには世界はどうなっているか考えてみたいものだ。孫たちが今のわれわれと同世代になっている頃のことを。

最後にこのようなことを考える余裕を与えてくださった皆さん、私を支えてくれた妻をはじめ家族に感謝します。

２０２３年９月記

志賀　一太郎（しが　いちたろう）

1958年、滋賀県生まれ。某大学地学科（現地球科学科？）卒業。高校、大学と山岳部員として活躍。氷河にあこがれ、1982年、中国からの世界第二の高峰K2登山隊に参加。6050ｍ未踏峰初登頂。

25歳よりシステムエンジニアとしてコンピュータプログラム、8ビットコンピュータのOS開発を行う。その後運送会社勤務、その間3回のヒマラヤ登山を経験、旅行を含め19回海外渡航。またバブル期より、経済分野に興味をもってきた。

現在北海道在住。5年間、道内高校勤務の後、現在に至る。妻と一男一女の子、四人の孫をもつ。

エッセイ　通貨二元論

2023年11月26日　初版第1刷発行

著　　者　志賀一太郎
発 行 者　中 田 典 昭
発 行 所　東京図書出版
発行発売　株式会社 リフレ出版
〒112-0001　東京都文京区白山 5-4-1-2F
電話（03）6772-7906　FAX 0120-41-8080
印　　刷　株式会社 ブレイン

ISBN978-4-86641-688-5 C0095
Printed in Japan 2023